ma première

visite chez le *dentiste*

Édition publiée par les Éditions Scholastic, 604, rue King Ouest, Toronto (Ontario) M5V 1E1 avec la permission de Quarto Group.

5 4 3 2 1   Imprimé en Chine CP141   11 12 13 14 15

Auteure : Eve Marleau

Illustrateur : Michael Garton

Conception graphique : Elaine Wilkinson

Direction artistique : Zeta Davies

Catalogage avant publication de Bibliothèque et Archives Canada

Marleau, Eve
Visite chez le dentiste / Eve Marleau ; illustrations de Michael Garton ; texte français d'Isabelle Montagnier.

(Ma première--) Traduction de : Visit to the dentist.
Niveau d'intérêt selon l'âge : Pour les 4-7 ans.
ISBN 978-1-4431-0642-9

I. Garton, Michael II. Montagnier, Isabelle, 1965- III. Titre.
IV. Collection : Marleau, Eve. Ma première-- .

PZ23.M366Vi 2011   j823'.92   C2010-905784-8

Les mots en caractères **gras** sont expliqués dans le glossaire de la page 24.

ma première...
visite chez le dentiste

Eve Marleau et Michael Garton

Texte français d'Isabelle Montagnier

Éditions
SCHOLASTIC

Arun et son grand frère Nimesh se brossent
les dents tous les matins et tous les soirs.

Arun aime la super brosse à dents de Nimesh.

Elle ressemble à

une vraie fusée!

— Maman, j'aimerais avoir une brosse à dents comme celle de Nimesh!

— Nimesh a eu sa brosse à dents quand il est allé chez le dentiste.

– Quand vais-je aller chez le dentiste? demande Arun.

– Tu as **rendez-vous** avec la docteure Robin jeudi.

Le jeudi, Arun et sa maman vont à la **clinique dentaire**.
Ils s'assoient dans la salle d'attente avec les autres
patients.

Jenny est venue pour un
examen annuel.

Mme Lalancette, la secrétaire
de l'école, a très mal aux dents!

– Avez-vous mal aux dents, monsieur Albert? demande Arun.

– Non, mais j'ai une **carie**. Le dentiste doit faire un plombage avant qu'elle ne devienne plus grande.

9

– Arun Dutta? Dre Robin est prête à te voir.

Arun et sa maman entrent dans le bureau de la dentiste.

Au centre de la pièce, il y a une grande chaise et une table avec des instruments.

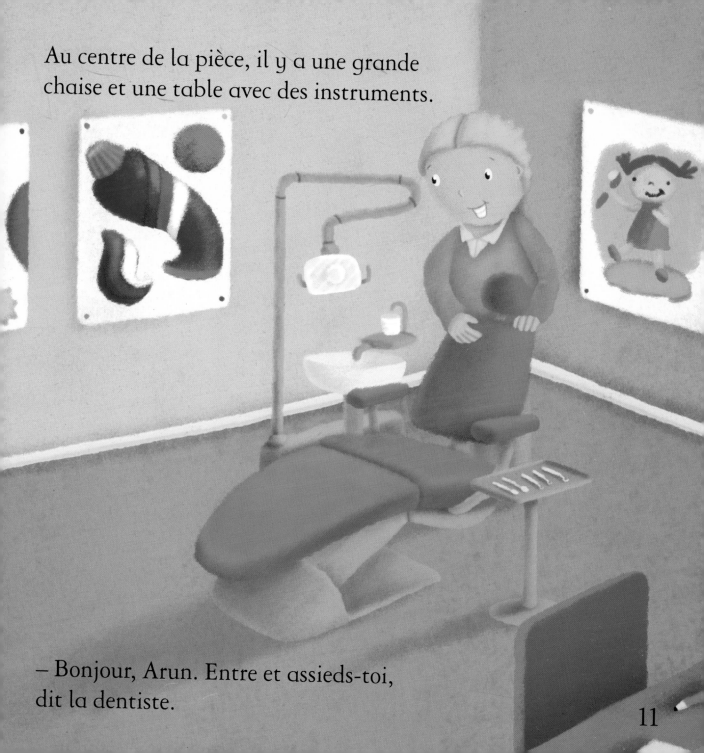

– Bonjour, Arun. Entre et assieds-toi, dit la dentiste.

Je vais utiliser un petit miroir pour compter tes dents.

1... 2... 3...
4... 5...
6... 7...

Maintenant, je vais
regarder si tu as
des caries.

Pour finir, je vais enlever la **plaque dentaire** de tes dents du bas.

La plaque dentaire est une couche collante de **bactéries** qui peut faire des trous dans tes dents si tu ne les nettoies pas deux fois par jour.

La dentiste donne un petit verre
de liquide rose à Arun
pour qu'il se rince la bouche.

– Et voilà, c'est fini!
dit-elle.

Je suis contente, Arun.

Tu as des dents et des **gencives** solides et en bonne santé.
Laisse-moi te montrer comment bien les nettoyer.

La dentiste montre à Arun comment se brosser les dents.
– Fais des mouvements en rond sur tes dents avec ta brosse.

Commence au fond...

puis brosse les dents de devant...

et assure-toi de brosser le dessus et le côté arrière de tes dents aussi.

17

La dentiste montre à Arun les affiches qui sont sur le mur.

– Nettoie tes dents après ton déjeuner et avant d'aller au lit, lui dit-elle.

Ne mange pas trop de bonbons. Ils sont pleins de sucre et c'est mauvais pour tes dents.

Ainsi, tes dents et tes gencives resteront en bonne santé.

Bravo Arun! Tu as gardé la bouche grande
ouverte pendant que je regardais tes dents,
dit la dentiste.

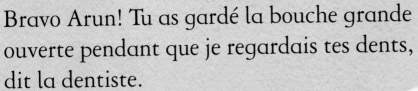

Elle ouvre son tiroir et en
sort une brosse à dents
rouge vif en forme
de fusée.

— Super! s'exclame Arun.

C'est la même que Nimesh,
mais en rouge!

Maintenant, quand il se brosse les dents, Arun suit les conseils de sa dentiste. Il fait des mouvements en rond avec sa brosse.

Il commence au fond…

puis il brosse les dents de devant…

et pour finir, il brosse le dessus et le côté arrière de ses dents.

Ses dents sont toujours propres et bien lisses.

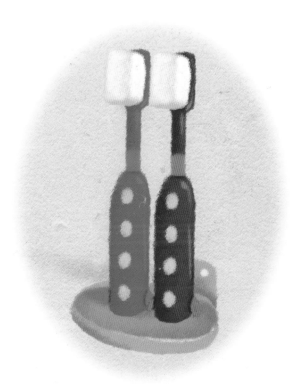

Elles brillent et sont bien blanches aussi!

Glossaire

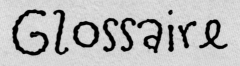

Bactéries : Minuscules cellules qui peuvent former des cavités (ou trous) dans les dents.

Clinique dentaire : Endroit où les dentistes reçoivent leurs patients.

Carie : Trou dans une dent.

Gencives : Chair rose qui recouvre la racine des dents.

Patient : Personne que le dentiste traite.

Plaque dentaire : Substance collante qui peut se former sur les dents.

Rendez-vous : Jour choisi pour aller quelque part, chez le dentiste par exemple.